Un cri vers le Ciel !

Dieu si tu existes, écoute ma prière !

8ème édition
70 000 exemplaires

Un livre pour tous,
dans les situations les plus difficiles.

ISBN : 2 - 9511592 - 4 - 2
EAN : 978 295 115 9242

Préface

Le Ciel nous paraît si souvent bien loin ! Nous nous sentons perdus, isolés dans la solitude du naufragé sur une île déserte. Le monde nous voyant perdus, dépressifs ou désespérés semble nous dire : « Où est-il ton Dieu ? »
Ce monde est athée, sans Dieu, vide de Ciel et nous errons comme des orphelins dans une foule hostile. Alors où est Dieu, pourquoi est-il si loin ?
Le seule distance qu'il y a entre lui et nous est celle que nous mettons. Dieu est plus intime à nous-mêmes que nous-mêmes comme le disait déjà saint Augustin. Il est en nous comme il était en Marie.
Il est au milieu de nous, il est avec nous car il voulu s'appeler Emmanuel. Il a voulu venir dans une famille pour que nous soyons adoptés à jamais, pour que nous soyons comblés, pour que tout ce que nous demandons, nous l'obtenions, pour que notre bonheur et notre joie soient complets.
Bonne nouvelle ! La solution que l'amour a inventée est de se faire famille et que dans cette famille nous soyons comblés.
Cependant nous sommes libres de quitter cette famille, de nous éloigner, de suivre des chemins de traverse, de nous tromper et de faire notre malheur. Dieu ne nous en veut pas mais il s'attriste et nous invite sans cesse à revenir.
Ce petit livre est un itinéraire court et intense pour revenir, pour retrouver le bonheur dans une famille magnifique et aussi intime qu'elle est immense. La voie d'enfance n'a rien de naïf et sa simplicité cache sa nature sublime.
« Un cri vers le Ciel » est un petit livre aux grands effets !

Frère Ephraïm

Le doigt de Dieu qui rejoint notre humanité par Adam
extrait de "la Création", plafond de la Chapelle Sixtine peint par Michel-Ange

“Demandez, vous obtiendrez
Cherchez, vous trouverez,
Frappez et la porte
vous sera ouverte”

(Jésus dans l’Evangile de Mathieu 7, 7)

Qu’est-ce que le pari de Blaise Pascal ?

“Dieu est, ou il n’est pas.
L’alternative s’impose, il faut en effet choisir car nous sommes de toute façon “embarqués” dans l’existence.
- soit Dieu n’existe pas, et je vis ma vie sans lui. Au moment de mourir je prends le risque de découvrir tout ce que j’ai manqué !
- soit Dieu, qui est l’Amour, existe, et je décide de vivre toute ma vie sur terre avec Lui. Au moment de mourir, je découvre la Vérité !
Si je perds je ne perds rien ! Si je gagne, je gagne tout ! “

(d’après Blaise Pascal - Ed. Brunsching n°233)

Un cri vers le Ciel !

Dieu si tu existes, écoute ma prière !

Une prière pour tous, dans les situations les plus difficiles.

Pourquoi ce titre ?

Un cri vers le Ciel !
C'est l'attitude d'une personne qui n'en peut plus, qui ne trouve plus de solution humaine à ses problèmes. C'est l'attitude d'une personne qui cherche la vérité, en vérité. Une personne qui a peut-être cherché longtemps sans trouver de réponse…

Dieu si tu existes, écoute ma prière !
C'est comme une provocation, comme un enfant qui crie vers son Père, comme cette magnifique prière d'un moine du désert, qui crie un jour dans sa solitude : *«J'en ai marre !»*. Cela peut paraître choquant, mais c'est pourtant une véritable prière du cœur, un cri vers le Ciel. Attention, Dieu répond toujours à ces provocations, car Dieu existe vraiment, et dans sa bonté, Il ne supporte pas de voir ses enfants souffrir. *"Dans mon angoisse*

j'ai crié vers le Seigneur, il m'exauça, me mit au large." (Ps 117) Souvent la réponse à cette prière est l'ouverture de notre propre cœur qui s'était fermé depuis des années à la réalité amoureuse de Dieu.
Cette prière est une neuvaine, c'est comme un secret "à ne pas mettre entre toutes les mains" sans prévenir, car elle est puissante sur le Cœur de Dieu et aussi sur le cœur de celui qui la pratique, s'il y met véritablement toute sa foi, toute sa force et toute son âme.

Neuvaine efficace pour tous, dans les situations les plus difficiles.

Nous vous proposons une véritable rencontre personnelle avec des personnes humaines qui vivent maintenant dans le Ciel : saint Joseph, la Vierge Marie, et la Petite Thérèse de l'Enfant-Jésus. Nous vous proposons une rencontre avec une personne spirituelle, votre Ange gardien. Nous vous proposons aussi une rencontre personnelle avec Dieu dans les trois personnes de la Sainte Trinité : Le Père, le Fils et le Saint-Esprit. C'est avant tout en ce sens là que cette neuvaine se révèle efficace, car elle entraîne obligatoirement un changement, un mouvement et une prise de conscience du monde invisible, mais bien réel et agissant dans notre vie de tous les jours.
Ce chemin n'est pas un chemin anodin, c'est un véritable cheminement qui peut changer en profondeur

notre vie et donc celle de notre entourage.
Cette neuvaine est écrite d'une manière extrêmement simple, elle s'adresse à tous, quels que soient notre niveau spirituel, notre pratique, ou nos croyances.
La seule chose qui compte, c'est de vraiment *"jouer le jeu"* et particulièrement au moment de la prière du cœur. Durant le temps de silence, nous vous demandons de vraiment « écouter », car on ne trouve Dieu que dans le silence et la solitude. N'oubliez pas que Dieu est notre plus grand ami, avec Lui nous ne sommes jamais seuls.

Préparer un lieu :
Il est important, si ce n'est déjà fait, pour bien vivre notre neuvaine, de nous faire un petit coin prière : une bible, une croix, un petit bouquet de fleurs, une icône, quelques photos de famille...C'est vous qui trouverez, avec ce que vous avez, de quoi agrémenter ce lieu de rendez-vous quotidien. C'est comme décorer et embellir une pièce pour accueillir son ami le plus cher.

A quel moment ?
Il est préférable de commencer si possible la journée par la neuvaine. Se lever un peu plus tôt et dans le calme du matin, tendre vers le Ciel. C'est aussi plus pratique pour le petit cadeau* du jour, la bonne résolution* offerte. Cependant, si cela vous est difficile, il s'avère profitable

de vivre le temps de la neuvaine le soir, dans la paix de la nuit et de faire sa promesse* pour le lendemain.
(*nous y viendrons plus loin)

Le principe de cette neuvaine :
Dans notre monde actuel, nous nous tournons vers de faux dieux : l'horoscope, les voyants, les jeux, et toutes les chimères proposées par les médias et la société de consommation. Aujourd'hui, nous voulons vous proposer une véritable démarche de foi et de confiance vers le seul Dieu qui est Créateur du monde, qui est Sauveur et qui est l'Amour.

Qu'est-ce qu'une neuvaine ?
Cette prière se fait en 9 jours ou en 9 étapes, à notre rythme. Soyons souples, quelquefois il est important de rester plusieurs jours sur une journée pour mieux "insister" et "laisser travailler en nous" la grâce de Dieu.
Pourquoi 9 jours ?
La tradition de l'Eglise fait référence aux 9 jours entre la montée de Jésus au Ciel (l'Ascension) et la venue de l'Esprit-Saint sur la terre (la Pentecôte). Là, les apôtres effrayés se sont rassemblés en prière dans la chambre haute autour de la Vierge Marie pendant ces 9 jours.
Le neuvième jour, l'Esprit-Saint est descendu sur eux avec tous ses fruits et ses dons ! A partir de là, la face du monde a commencé à changer grâce à ces 12 hommes

remplis de l'Esprit-Saint, qui se sont mis à annoncer la Bonne Nouvelle du Christ Ressuscité !
Dès ce neuvième jour, toute la vie des apôtres est transformée !

Comment prier ?

Pour prier cette neuvaine il peut être plus aisé d'être seul. Cependant nous pouvons aussi prier à plusieurs, en couple, en famille...
L'esprit de cette neuvaine est simple, c'est un cri du cœur : *"Dieu si tu existes, exauce ma prière !"* C'est un défi d'amour à notre Père du Ciel. En échange, dans ce commerce amoureux, nous acceptons *"de jouer le jeu"*. Si Dieu exauce notre prière, alors nous lui faisons une promesse de conversion personnelle, et nous acceptons comme les apôtres de nous laisser transformer par l'Esprit-Saint.
Nous proposons 9 étapes spécifiques qui élèvent progressivement en intensité notre prière vers Dieu.

Quelles intentions ?

En général, nous avons beaucoup de choses à demander à Dieu. Le plus important est de présenter à Dieu le fond de notre cœur et ce cri que nous portons en nous. Dieu est simple, il connaît notre situation. Entrons simplement dans la prière qui est un dialogue avec Lui. Comme un enfant présentons-Lui, exposons-Lui nos problèmes, nos difficultés. Remercions-Le aussi, pour les bonnes choses reçues. Sachons enfin reconnaître nos fautes et demandons-Lui humblement pardon pour ce qui nous coupe de son amour, car le pardon est un chemin de libération.

Comment formuler son ou ses intention(s) personnelle(s) ?

Tout d'abord il est préférable d'avoir une seule grande intention par neuvaine. De plus, il est important d'être précis dans notre demande. Nous rappellerons cet épisode savoureux évoqué par des religieuses qui avaient demandé un âne à Saint Joseph. Elles avaient dessiné l'animal sur une feuille et placé le dessin sous la statue du saint. Au bout de 9 jours, un brave fermier leur apporte en cadeau... un âne ! Mais surprise, il n'a pas de queue ? Les sœurs regardent alors leur dessin, et effectivement, elles avaient omis de dessiner la queue !

Donc, soyons précis dans notre demande et patients. Souvent, nous ne sommes exaucés qu'à la fin de la neuvaine ou dans les jours suivants.

Attention cependant, la neuvaine n'est pas une *"formule magique"*. Elle est un moyen pour nous "mettre en route", tant sur le plan humain que spirituel.

Ce livre est écrit avec le *"tutoiement"*, bien sûr vous pouvez aussi utiliser le *"vouvoiement"* selon votre cœur.

Comment reconnaître la réponse de Dieu ?

Si la demande est claire, la réponse est claire. Cependant, parfois il faut être attentif à la manière de répondre du Ciel à travers les événements. En effet, la réponse peut-être bien différente de ce que l'on attend. Ce peut-être un changement inattendu de la part de personnes liées directement ou indirectement à la neuvaine. Quelquefois, il faut être à "l'écoute" de la réponse de Dieu et comprendre qu'un événement apparemment extérieur est sa réponse.

Par exemple, Jacques demande du travail dans sa prière, au bout de 9 jours, sa cousine lui téléphone (alors qu'elle n'appelle jamais !) pour annoncer, "comme çà" dans son "bavardage" qu'il y a une place qui se libère dans l'entreprise juste à côté de chez Jacques... Ainsi, peut-être que Jacques aura ce poste, s'il fait la démarche d'aller se présenter dans cette entreprise !

Cet enseignement nous montre qu'il faut aussi mettre humainement les choses "en route". Si, par exemple, dans notre neuvaine nous présentons au Seigneur une recherche de logement, il nous faut aussi chercher dans les petites annonces, chez l'agent immobilier...

Chaque journée de la neuvaine se présente en 5 temps:

1) Une présentation rapide
2) Une entrée en prière
3) La prière du Cœur

C'est le moment où nous exprimons notre intention personnelle du plus profond de notre cœur, avec nos mots, nos expressions...Comment sait-on que l'on prie avec le cœur ? Quand nous avons passé un temps avec un ami, nous savons très bien dans notre cœur si nous étions avec lui ou déjà en train de penser à autre chose. Etre vraiment avec Dieu, c'est cela prier avec le cœur. Nous pouvons prier à voix haute si cela nous aide, ou en silence. Ce qui compte, c'est l'intensité de notre prière.

4) Trois courtes prières
5) La promesse

La promesse est l'une des originalités de cette neuvaine qu'elle rend efficace d'une manière particulière. C'est le petit cadeau ou le sacrifice (sacrifice veut dire étymologiquement « rendre sacré ») que nous faisons. De cette manière, nous sommes plus ouverts à l'action de Dieu en nous tout au long de notre journée.
En réfléchissant, nous trouverons des tas de cadeaux à offrir, "rien que pour l'aujourd'hui". Quelques exemples : aller à la messe, arrêter de fumer ou de regarder la TV une journée, un geste d'amour vers quelqu'un qui en a besoin, un coup de fil ou une courte prière...

A la fin de la neuvaine, nous proposons de faire une grande promesse à Dieu en réponse à notre prière. Ainsi, quand la demande est exaucée, même longtemps après, il est important de rester fidèle et de réaliser notre promesse envers Dieu.

PROGRAMME DE LA NEUVAINE

1 - Une journée avec Saint Joseph
2 - Une journée avec la Vierge Marie
3 - Une journée avec l'Enfant-Jésus
4 - Une journée avec la Sainte Famille
5 - Une journée avec Sainte Thérèse de Lisieux
6 - Une journée avec votre Ange gardien
7 - Une journée avec Dieu le Père
8 - Une journée avec le Christ Miséricordieux
9 - Une journée avec l'Esprit-Saint

Prière finale à la Très Sainte Trinité

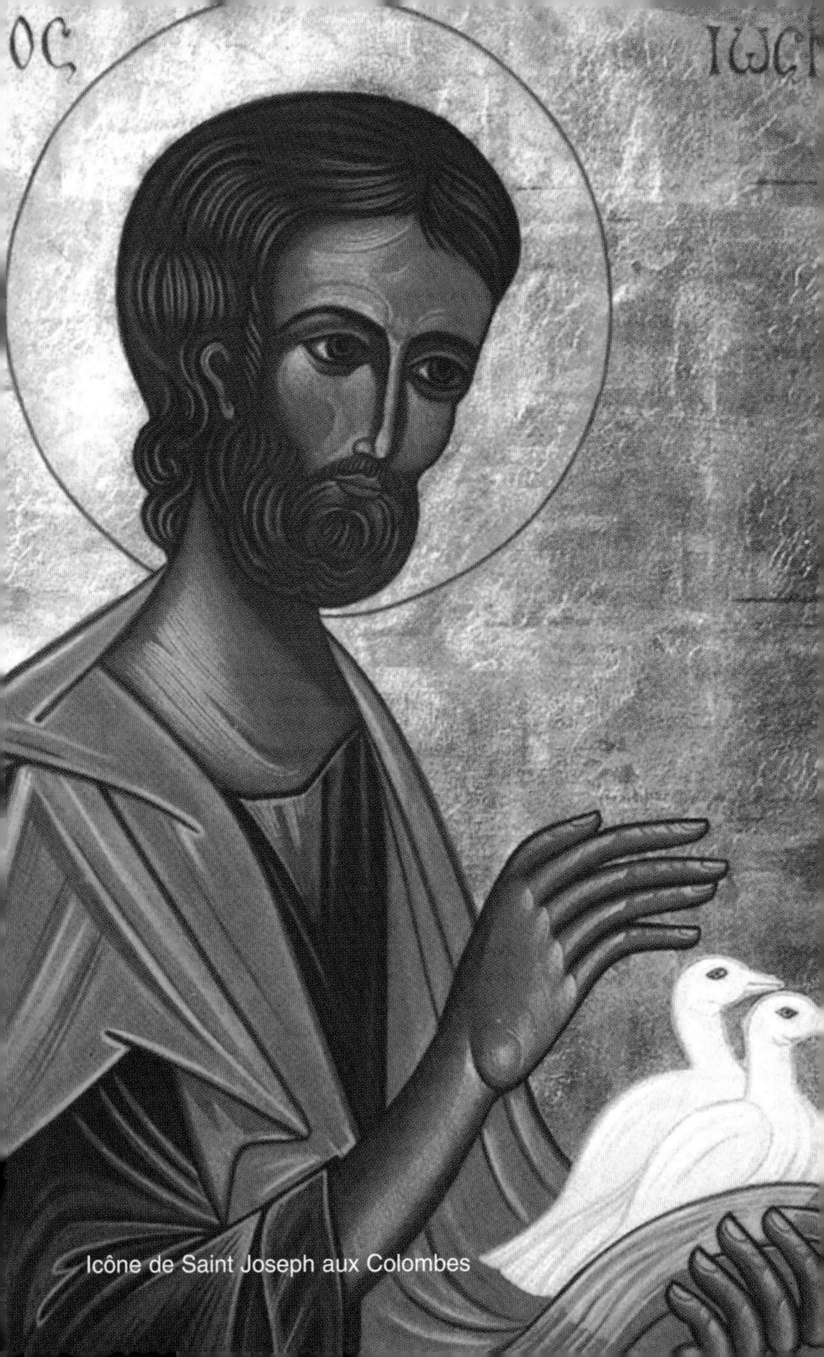

Icône de Saint Joseph aux Colombes

Première journée avec saint Joseph

Présentation :
Saint Joseph est l'époux de la Vierge Marie et le Père adoptif de Jésus sur la terre. Toute sa vie il exerce un rôle de protecteur envers Jésus et Marie. Il est le juste, c'est à dire celui qui a une attitude « ajustée » en toutes circonstances. Joseph veut dire « celui qui élève », c'est à dire celui qui fait grandir. Il représente à la fois la force et la douceur. Il est le modèle pour tous les pères de famille et pour les hommes.
Il est « l'ombre du Père », c'est à dire celui que Dieu a choisi comme père sur la terre pour son fils Jésus. En ce sens, il réajuste le rôle du père au sein d'une famille.
Il est travailleur et c'est lui qui porte tous les soucis matériels au sein de la Sainte Famille.
Il est remarquable aussi par son obéissance à la volonté de Dieu. On l'invoque aussi comme patron de la bonne mort. Il est patron de l'Eglise universelle.
Nous le fêtons le 19 mars et le 1er mai.

Entrons en prière :
Au nom du Père, du Fils et du Saint-Esprit. Amen !
Saint Joseph, je te présente mon sentiment et mon attitude face à l'autorité et à la paternité. Réajuste en moi et autour de moi, le rôle et l'image du père, à la fois protecteur et obéissant, à la fois fort et doux, comme celui "qui élève", qui fait grandir, c'est à dire celui qui n'écrase pas et aussi qui n'abandonne pas.
Saint Joseph, je te présente ma propre image de Dieu le Père. Toi le juste et le saint, réajuste en moi cette image masculine et apprends moi à reconnaître ce qu'il y a de beau et de grand dans le cœur de tous les pères de la terre. Saint Joseph, je te présente aussi mes problèmes matériels et financiers.

La prière du coeur :
Saint Joseph, écoute maintenant mon cri vers le Ciel !

Dites avec vos mots, faites monter par vos propres expressions votre cri du cœur à Dieu le Père par l'intercession de Saint Joseph, c'est à dire à travers sa prière. Exprimez lui en toute vérité et confiance votre demande spécifique...

A la fin de ce temps de prière personnelle, vous pouvez prendre un temps de silence pour entrer dans un dialogue d'amour avec saint Joseph.

Prières :

Notre Père qui es aux Cieux que ton nom soit sanctifié, que ton règne vienne, que ta volonté soit faite sur la terre comme au Ciel. Donne-nous aujourd'hui notre pain de ce jour, pardonne-nous nos offenses comme nous pardonnons aussi à ceux qui nous ont offensés et ne nous soumets pas à la tentation, mais délivre-nous du mal. Amen.

Je te salue Joseph, toi que la grâce divine a comblé. Le Sauveur a reposé dans tes bras et grandi sous tes yeux. Tu es béni entre tous les hommes, et Jésus, l'Enfant divin de ta virginale épouse, est béni. Saint Joseph, donné pour père au Fils de Dieu, prie pour nous dans nos soucis de famille, de santé et de travail jusqu'à nos derniers jours et daigne nous secourir à l'heure de notre mort. Amen.

Invocation : Saint Joseph, prie pour nous !

Gloire au Père, au Fils et au Saint-Esprit, comme il était au commencement, maintenant et toujours et dans les siècles des siècles. Amen !

Votre promesse : Saint Joseph, je te promets …
Exprimer alors pour aujourd'hui votre petit cadeau personnel, votre petite résolution pour réjouir le cœur de Saint Joseph.

Tableau de la Vierge Marie à l'Enfant

Deuxième journée
avec la Vierge Marie

Présentation :
La Vierge Marie est une jeune femme. Elle est née il y a un peu plus de 2000 ans en Israël. Elle est la fille d'Anne et de Joachim. Dieu l'a choisie pour être la mère du Messie, Jésus le Christ. A 14 ans elle est visitée par l'ange Gabriel qui lui propose cette mission unique dans l'histoire du Salut de l'humanité. Elle accepte. Par son "Oui", Marie se laisse épouser par l'Esprit-Saint pour accueillir en son sein l'Enfant-Dieu.
L'Eglise nous enseigne 4 dogmes (c'est à dire 4 vérités) sur la Vierge Marie :
1) Maternité Divine : Elle est Mère de Dieu.
2) Virginité : Elle est Vierge.
3) Assomption : A la fin de sa vie terrestre, elle a été élevée au Ciel avec son corps et son âme.
(nous fêtons ce mystère le 15 août)
4) Immaculée Conception : Elle est conçue sans péché.

Marie est avant tout une maman. Non seulement elle est la mère du Christ, mais plus tard, sur la Croix, Jésus la donne pour mère à toute l'humanité. *"Voici ta mère"* (Jean 19, 27). Comme toutes les mamans, Marie est attentive à chaque petit problème de notre vie. Nous pouvons vraiment tout lui confier, tout lui dire.

Entrons en prière :

Au nom du Père, du Fils et du Saint-Esprit. Amen !

Sainte Marie, ma mère, je te présente toutes les mères qui ont un rapport direct ou indirect avec la situation que je dépose dans cette neuvaine. Réajuste en moi le rôle et l'image maternelle, à la fois forte et douce, présence patiente et rassurante.

Marie la toute pure, viens calmer les situations de conflit. Marie la toute humble, viens ouvrir les cœurs à la réconciliation, Marie Reine de la Paix, viens apaiser toutes choses en nos cœurs meurtris.

Sainte Marie, je te présente ma propre image des femmes en général. Réajuste en moi cette image féminine et apprends-moi à reconnaître ce qu'il y a de beau et de grand dans le cœur de toutes les femmes.

Sainte Marie, je te présente toutes mes relations, viens visiter les plus douloureuses d'entre elles, avec la douceur de ton cœur maternel.

La prière du coeur :

Sainte Vierge Marie, ma mère, écoute maintenant mon cri vers le Ciel !

Dites avec vos mots à vous, faites monter par vos expressions personnelles votre cri du cœur à Dieu par l'intercession de la Vierge Marie. Exprimez-lui, en toute vérité et confiance votre prière…

A la fin de ce temps de prière personnelle, vous pouvez prendre un temps de silence pour entrer dans un dialogue d'amour avec Marie.

Prières :

Le credo :
Je crois en Dieu le Père tout puissant, créateur du Ciel et de la terre, et en Jésus Christ, son Fils unique, notre Seigneur, qui a été conçu du Saint-Esprit, est né de la Vierge Marie, a souffert sous Ponce Pilate, a été crucifié, est mort et a été enseveli, est descendu aux enfers, le troisième jour, est ressuscité des morts, est monté aux cieux, est assis à la droite de Dieu le Père tout-puissant, d'où il viendra juger les vivants et les morts.
Je crois en l'Esprit-Saint, à la sainte Eglise catholique, à la communion des saints, à la rémission des péchés, à la résurrection de la chair, à la vie éternelle. Amen.

Je te Salue Marie, pleine de grâce, le Seigneur est avec toi, tu es bénie entre toutes les femmes et Jésus, le fruit de ton sein est béni. Sainte Marie, mère de Dieu, prie pour nous pauvres pécheurs, maintenant et à l'heure de notre mort. Amen.

Invocation :
Sainte Marie mère de Dieu, prie pour nous !

Gloire au Père, au Fils et au Saint-Esprit, comme il était au commencement, maintenant et toujours et dans les siècles des siècles. Amen !

Votre promesse :
Vierge Marie, aujourd'hui je te promets …
Exprimez alors votre petit cadeau personnel pour faire plaisir à la Vierge Marie.

Petite histoire vraie…
Ne trouvant aucun secours sur la terre, la pauvre Thérèse s'était tournée vers sa Mère du Ciel, elle la priait de tout son cœur…
(Rien ne semblait pouvoir combler l'immense vide que laissait sa maman récemment disparue).
Tout à coup la Sainte Vierge me parut si belle que jamais je n'avais vu rien de si beau, son visage respirait une bonté et une tendresse ineffable, mais ce qui me pénétra jusqu'au fond de l'âme, ce fut le "ravissant sourire de la Sainte Vierge". Alors, toutes mes peines s'évanouirent, deux grosses larmes jaillirent de mes paupières et coulèrent silencieusement sur mes joues, mais c'était des larmes de joie sans mélange…
Ah ! pensai-je, la Sainte Vierge m'a souri, que je suis heureuse…Sans aucun effort je baissai les yeux, et je vis Marie (la sœur de Thérèse) qui me regardait avec amour, elle semblait émue et paraissait se douter de la

*faveur que la Sainte Vierge m'avait accordée...
Ah ! c'était bien à elle, à ses prières touchantes, que je devais la grâce du sourire de la Reine des Cieux. En voyant mon regard fixé sur la Sainte Vierge, elle s'était dit : "Thérèse est guérie !"
Oui la petite fleur allait renaître à la vie, le Rayon lumineux qui l'avait réchauffée ne devait pas arrêter ses bienfaits. Il n'agit pas tout d'un coup, mais doucement, suavement, il releva sa fleur et la fortifia de telle sorte que, cinq ans après, elle s'épanouissait sur la montagne fertile du Carmel.*

(Sainte Thérèse de l'Enfant-Jésus – Histoire d'une âme chapitre 3)

Tableau de l'Enfant-Jésus de Fra Angélico

Troisième journée avec l'Enfant-Jésus

Présentation :

L'Enfant-Jésus, quel mystère de simplicité !

Dieu Emmanuel, c'est à dire Dieu avec nous, Dieu fait chair, Dieu fait petit bébé, petit homme ! L'Enfant-Jésus est à la fois pleinement Dieu et en même temps pleinement homme. Dieu nous révèle son identité, son humilité, son innocence. Regarder les petits yeux brillants de l'Enfant-Jésus nous redonne notre innocence. Il est totalement désarmé devant nous et totalement désarmant. Avec Lui, laissons tomber nos défenses, ces fortifications bâties sur nos amours blessés et déçus. En lui nous pouvons retrouver notre intégrité, notre pureté originelle et notre esprit d'enfance. En lui, nous pouvons rejoindre l'enfant que nous avons été, qui vit et souvent pleure en nous, et recevoir la guérison.

L'Enfant-Jésus est un grand maître spirituel, car il nous réapprend le bon sens des choses de la vie, la simplicité et la spontanéité.

Bien sûr, nous célébrons sa naissance à Noël.

Entrons en prière :
Au nom du Père, du Fils et du Saint-Esprit. Amen !
Enfant-Jésus, je te présente tous les enfants qui ont un rapport direct ou indirect avec cette situation que je dépose dans cette neuvaine. Réajuste en nous la vraie place de l'enfant et l'attitude à avoir face à un enfant tout innocent faisant totalement confiance aux adultes et qui ne soupçonne pas le mal.
Réajuste, Enfant-Jésus, l'attitude des grandes personnes vis à vis des touts-petits, trésors de vie livrés à notre responsabilité . Viens guérir par ton regard et ton innocence nos blessures d'amour. Viens nous redonner notre innocence perdue. Rétablis cette confiance et cette simplicité avec Toi, avec ta maman Marie, que tu nous donnes comme notre mère et avec saint Joseph, que tu nous donnes comme notre père.

La prière du coeur :
Enfant-Jésus, mon petit frère, écoute maintenant mon cri vers le Ciel !
Dites avec vos mots à vous, faites monter par vos propres expressions votre cri du cœur à l'Enfant-Jésus. Exprimez-lui en toute vérité et confiance votre prière...

A la fin de ce temps de prière personnelle, vous pouvez prendre un temps de silence pour entrer dans un dialogue d'amour avec l'Enfant-Jésus.

Prières :

Enfant-Jésus, Roi d'amour, fais-moi entrer dans la Sainte Famille.
Montre-moi le Cœur de Marie et le Cœur de Joseph.
Donne à ma famille la paix et l'unité.
Enseigne-moi l'amour et le don afin d'aider toutes les familles de la terre à transmettre la vie qui ne passe jamais.
Enfant-Jésus, Innocence du Père, tu m'enseignes que toute autorité sur la terre vient d'En-Haut, et que toute paternité descend du Père des miséricordes.
Enseigne à tous les pères de la terre la tendresse et la force qui font grandir.
Enseigne à tous les enfants la confiance dans l'autorité des parents, le respect et la tendresse filiale.
Enfant-Jésus, je te présente toutes les familles pour que la vie y soit reçue avec reconnaissance dans l'émerveillement de Noël, avec la joie et la foi du matin de Pâques, dans l'effusion d'amour de la Pentecôte.
Amen !

(Frère Ephraïm)

Prière de consécration à l'Enfant-Jésus

Enfant Jésus, Enfant-Dieu, tu es venu,
Si petit, si vulnérable,
Si pauvre, si faible pour nous.
Je t'offre les peurs de ma faiblesse,
De ma vulnérabilité,
De ma petitesse, de ma pauvreté.
Je dépose tout ce que je suis
Dans ton Cœur Innocent et pur.
Oui, je me consacre à Toi, Enfant-Jésus.
Roi d'Amour je me consacre à Ton innocence,
A Ta pureté.
Oui, tu es le véritable Amour, la véritable Beauté,
Tu es Celui qui ne soupçonne rien.
L'innocence de Ton regard nous sauvera !
Enfant-Jésus, sauve-moi par Ton innocence !

(Jean-Marc Hammel - Cté des Béatitudes de St Broladre)

Invocation :
Enfant-Jésus Roi d'amour, j'ai confiance en ta miséricordieuse bonté !

Gloire au Père, au Fils et au Saint-Esprit, comme il était au commencement, maintenant et toujours et dans les siècles des siècles. Amen !

Votre promesse :
Enfant-Jésus, je te promets …
Exprimez alors pour aujourd'hui votre petit cadeau personnel pour faire plaisir à l'Enfant-Jésus.

Petite histoire vraie...
"J'étais à la chapelle, lorsque tout à coup, je vis le Divin Enfant devant moi. Il me regardait avec tendresse en me tendant les bras. Je lui tendis les miens et Il vint s'y blottir. Nous ne nous sommes rien dit, nous nous sommes regardés et je Lui ai promis de faire tout ce qui Lui plairait. En sortant de mon extase, j'avais dans les bras un petit Jésus de cire ; tout le monde s'accorde à dire qu'il est ravissant, moi je le trouve bien joli aussi, mais après L'avoir vu réellement, je ne peux Le trouver merveilleux. Et pourtant, Il a encore ce doux sourire et ce regard si tendre. Il garde sa pose d'abandon. Il a encore l'air de nous dire : "Venez près de Moi et donnez-moi votre cœur."

(Yvonne-Aimée de Jésus, ma mère selon l'Esprit, Père Paul Labutte, page 321; Edition François Xavier de Guilbert)

Icône de la Sainte Famille - Monastère des Bénédictines du Mont des Oliviers

Quatrième journée avec la Sainte Famille

Présentation :

Par la Très Sainte Trinité, Dieu est famille.

La Sainte Famille est la petite Trinité sur la terre.

Elle est source et modèle pour toutes les familles de la terre. En elle circule l'amour du Père, du Fils et du Saint-Esprit, cet Amour Trinitaire ineffable par lequel chacun se donne totalement à l'autre dans une oblation parfaite. La Sainte Famille, avec Joseph, Marie et l'Enfant-Jésus nous montre une vie faite de simplicité, d'harmonie et de don. Chacun est à l'écoute et au service de l'autre. La complémentarité est réalisée dans le fait que chacun sait parfaitement qui il est et quelle est sa place. La Sainte Famille est source de guérison pour les familles, pour retrouver la place de chacun, dans son identité pleinement vécue, au sein de sa propre famille. Dieu nous ajuste, nous réajuste, nous donnant la paix, la joie et l'harmonie en famille. La Sainte Famille est aussi particulièrement source de guérison pour les familles blessées, séparées... Nous fêtons la Sainte Famille le dimanche entre Noël et le nouvel an ou le 30 décembre.

Entrons en prière :

Au nom du Père, du Fils et du Saint-Esprit. Amen !

Sainte Famille de Nazareth, je te présente ma propre famille telle qu'elle est. Viens établir avec toujours plus de force ta paix, ta joie et l'harmonie entre nous. Réajuste la place de chacun à ton image.

Sainte Famille, redonne l'identité d'enfant de Dieu à chacun des membres de ma famille, viens guérir nos blessures, apaiser et sanctifier toutes nos relations familiales. Viens faire de notre maison un foyer de charité, d'amour et de pardon.

Marie, viens porter ta chaleur dans ma famille, Enfant-Jésus, donne-moi ta lumière et saint Joseph, toi le juste, guide-moi.

Sainte Famille, je te remets tous mes retours sur moi-même afin que je puisse entrer libéré dans un don total et gratuit envers les autres.

La prière du coeur :

Sainte Famille de Nazareth, Joseph, Marie et Enfant-Jésus, vous qui connaissez ma situation, écoutez maintenant mon cri vers le Ciel !

Dites avec vos mots à vous à la Sainte Famille votre cri du cœur. Exprimez-lui en toute sincérité et confiance votre prière…

A la fin de ce temps de prière personnelle, vous pouvez prendre un temps de silence pour entrer dans un dialogue d'amour avec la Sainte Famille.

Prières :

Sainte Famille de Nazareth, nous nous confions à vous, en famille, parce que Dieu a choisi de venir dans une famille, et par une famille pour sauver le monde et lui montrer son amour. Nous avons ouvert votre porte et nous sommes entrés chez vous.
Joseph, tu es le modèle des pères, attentif et doux, fort et protecteur.
Marie, lumière et joie de la maison, tu es le modèle des mamans qui aiment et qui consolent.
Enfant-Jésus, tu es le modèle de l'obéissance et de l'amour pour les parents.
Faites que notre famille vous ressemble de plus en plus. Gardez-nous dans la paix et la prière. Gardez-nous des disputes, de la jalousie et de l'impatience. Gardez-nous dans la volonté de Dieu et dans le désir de nous donner aux autres. Gardez-nous dans l'harmonie et dans la charité, et veillez à tous nos besoins matériels et spirituels.

(Frère Ephraïm)

Sainte Famille de Nazareth (chant ou prière)

Sainte Famille de Nazareth,
Petite Trinité sur la terre,
Jésus Dieu sur la terre,
Marie épouse de l'Esprit,
Joseph ombre du Père,
Rendez-nous semblables à vous.
Petite Trinité sur la terre,
Joseph mourant d'amour pour Marie,
Marie mourant d'amour pour Jésus,
Jésus mourant d'amour pour le monde,
Rendez-nous semblables à vous.

(Frère Ephraïm)

Invocation :
Sainte Famille de Nazareth, prie pour nous !

Gloire au Père, au Fils et au Saint-Esprit, comme il était au commencement, maintenant et toujours et dans les siècles des siècles. Amen !

Votre promesse :
Sainte Famille, aujourd'hui je te promets …
Exprimez alors votre petit cadeau personnel pour toucher le cœur de la Sainte Famille de Nazareth.

Petite histoire vraie...

En 1223 François d'Assise se trouvait à Greccio, une ville d'Italie.Il dit à l'un de ses amis, qui avait mis à la disposition des frères une grotte dans la montagne :

"Je veux célébrer Noël avec toi, cette année, dans la grotte. Tu y installeras une mangeoire pleine de foin. Fais venir un bœuf et un âne. Il faut que cela ressemble à la crèche où est né Jésus."

Tout les gens du village se rassemblèrent. La Messe fut dite à Minuit. La légende raconte que tout à coup, l'ami de saint François vit un petit enfant étendu dans la mangeoire. Il avait l'air endormi...François s'approcha, prit l'enfant tendrement dans ses bras. Puis le petit bébé s'éveilla, sourit à François, caressa ses joues et saisit sa barbe dans ses petites mains !

L'année suivante, les habitants de Greccio avaient raconté avec tant d'admiration les merveilles de cette nuit de Noël que, un peu partout, on se mit à reconstituer, dans les grottes ou les étables, la scène touchante de la Sainte Famille et de la naissance de Jésus.

Et c'est ainsi que François d'Assise inventa la créche de Noël, symbole de paix et de joie familiale !

(Père Jean Pihan "Saint François d'Assise", éditions Fleurus)

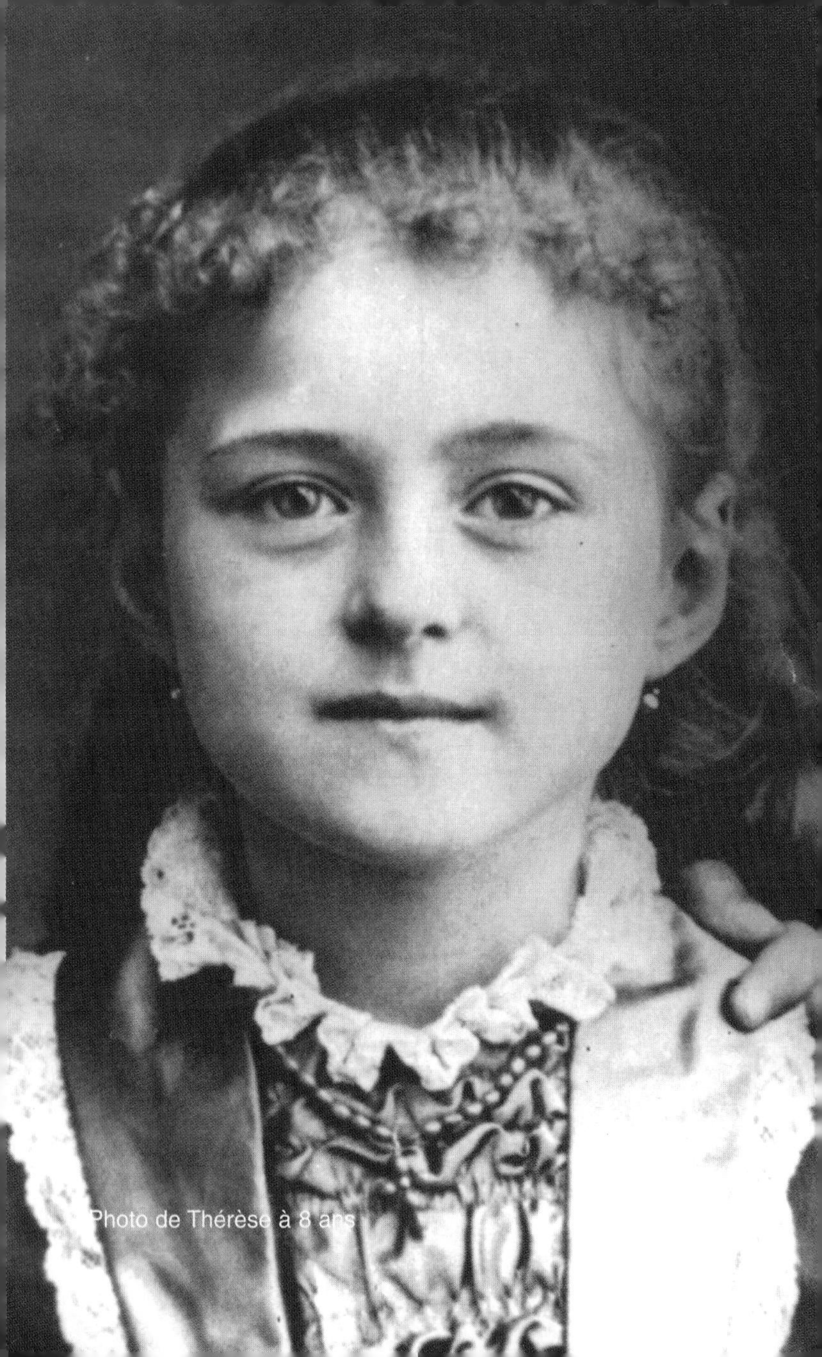
Photo de Thérèse à 8 ans

Cinquième journée avec Sainte Thérèse de Lisieux

Présentation :
Née à Alençon, le 2 janvier 1873, la petite Thérèse est la dernière des enfants de Louis et Zélie Martin. Parmi ses sœurs, trois seront carmélites à Lisieux et une visitandine. En 1887, Thérèse n'a que 14 ans, mais déjà confie à son père sa volonté de rejoindre ses sœurs au Carmel. Elle est admise l'année suivante avec une dérogation ; elle prendra le nom de Sœur Thérèse de l'Enfant-Jésus et de la Sainte Face. En 1894, sa sœur Pauline, devenue prieure du Carmel, lui demande d'écrire ses souvenirs. Ce livre s'appellera "Histoire d'une âme". En 1895, Thérèse décide de s'offrir pleinement à l'Amour Miséricordieux de Dieu. Elle meurt le 30 septembre 1897. Nous la fêtons le 1er octobre.
Elle nous transmet la *"petite voie"*, qui est un message d'amour simple mais total. Avant de mourir, elle fait la promesse de passer son Ciel à faire du bien sur la terre. Canonisée (c'est à dire reconnue sainte) en 1925, elle est la patronne des Missions et de la France. Elle est proclamée Docteur de l'Eglise le 19 octobre 1997 par le Pape Jean-Paul II.

Entrons en prière :
Au nom du Père, du Fils et du Saint-Esprit. Amen !
Petite Thérèse de l'Enfant-Jésus, toi qui as su garder ton cœur d'enfant, je te présente aujourd'hui mon propre cœur et le cœur de chaque personne que je porte dans ma prière. Redonne-moi ta simplicité, ton émerveillement devant les toutes petites choses de chaque jour. Redonne-moi ce goût de vivre l'instant présent, aujourd'hui après aujourd'hui, d'être présent à la Présence. Petite Thérèse, emmène-moi sur ta voie d'enfance, ce chemin d'amour des petits gestes quotidiens, du regard, du sourire… Petite Thérèse, donne-moi ta confiance inébranlable en Jésus dans toutes les situations les plus difficiles. Tu me redis encore : *"c'est la confiance, rien que la confiance, qui nous mène à l'Amour"*.
Viens, Sainte Thérèse, répandre une pluie de roses sur ma vie, mon passé, mon présent et mon futur.

La prière du coeur :
Petite Thérèse de l'Enfant-Jésus, petite soeur qui connais ma faiblesse, écoute maintenant mon cri vers le Ciel !

Dites avec vos propres mots à la Petite Thérèse votre cri du cœur. Exprimez-lui avec un cœur d'enfant votre prière…

A la fin de ce temps de prière personnelle vous pouvez prendre un temps de silence pour entrer dans un dialogue d'amour avec la petite Thérèse.

Prières :

Mon chant d'aujourd'hui (prière ou chant)

Ma vie n'est qu'un instant, une heure passagère
Ma vie n'est qu'un seul jour, qui m'échappe et qui fuit
Tu le sais, ô mon Dieu ! pour t'aimer sur la terre
Je n'ai rien qu'aujourd'hui !

Oh ! je t'aime Jésus ! vers Toi mon âme aspire
Pour un jour seulement, reste mon doux appui
Viens régner en mon cœur, donne-moi ton sourire
Rien que pour aujourd'hui !

O Vierge Immaculée ! c'est toi, ma Douce Etoile,
Qui me donnes Jésus, et qui m'unis à Lui.
Laisse-moi, O Mère ! reposer sous ton voile,
Rien que pour aujourd'hui !

(poésie de Sainte Thérèse de l'Enfant-Jésus)

Moi, si j'avais commis tous les crimes possibles
Je garderais toujours, la même confiance,
Car je sais bien que cette multitude d'offenses
N'est qu'une goutte d'eau, dans un brasier ardent.

Oui, j'ai besoin d'un cœur, tout brûlant de tendresse,
Qui reste mon appui, et sans aucun retour,
Qui aime tout en moi, et même ma faiblesse,
Et ne me quitte pas, ni la nuit ni le jour.

Non, je n'ai pu trouver nulle autre créature,
Qui m'aimât à ce point et sans jamais mourir.
Car il me faut un Dieu qui prenne ma nature,
Qui devienne mon frère et qui puisse souffrir.

Non, tu n'as pas trouvé créature sans tache,
Au milieu des éclairs, tu nous donnas ta Loi.
Et dans ton Cœur Sacré, ô Jésus je me cache.
Non, je ne tremble pas, car ma vertu c'est Toi.

(paroles de Sainte Thérèse de l'Enfant-Jésus)

Invocation :
Sainte Thérèse de l'Enfant-Jésus et de la Sainte Face, prie pour nous !

Gloire au Père, au Fils et au Saint-Esprit, comme il était au commencement, maintenant et toujours et dans les siècles des siècles. Amen !

Votre promesse :

Sainte Thérèse, ma petite sœur, aujourd'hui je te promets …

Exprimez alors votre petit cadeau personnel pour faire plaisir à la petite Thérèse.

Petite histoire vraie...

Un matin, Van contemplait le soleil levant, quand il entendit une voix qui l'appelait par son nom :

- "Van ! Van ! mon cher petit frère.

- Ma sœur, sainte Thérèse ? répondit Van.

- Oui, c'est bien moi, ta sœur Thérèse, qui est ici...Dieu veut que les leçons d'amour qu'Il m'a enseignées autrefois dans le secret de mon âme se perpétuent en ce monde. C'est pourquoi il a daigné te choisir comme petit secrétaire, pour exécuter le travail qu'Il désire te confier. Tu as marché à la suite de Dieu, cherchant uniquement à Lui faire plaisir. C'est en cela que consiste la sainteté. Petit frère, suis mon conseil : sois toujours attentif à offrir à Dieu ton cœur, tes pensées et toutes tes actions. Notre père céleste ne méprise jamais les petites choses. Désormais, petit frère, dans ta relation avec ton Père, conforme-toi à mes conseils."

(Petite histoire de Van par le Père A. Boucher p.42)

Icône de l'Archange Saint Michel

Sixième journée avec mon Ange gardien

Présentation :

Saint Thomas nous enseigne que *"dès sa naissance, chaque personne humaine bénéficie de l'assistance d'un ange, et tout au long du chemin de la vie si semé d'écueils, celui-ci est le guide éclairé et vigilant. Au terme de notre vie terrestre, il sera encore notre compagnon pour l 'éternité dans le Ciel."*

Il existe donc un monde invisible composé d'êtres spirituels. Parmis eux les Anges gardiens ont choisi Dieu de manière définitive. Quelle sécurité pour nous de savoir que ces amis ne nous abandonnent jamais ! Pie XII nous dit, *"la familiarité avec les anges donne un sentiment de sécurité. Nos compagnons invisibles nous communiquent quelque chose de la paix qu'ils puisent en Dieu."* *Par ailleurs,* saint Bernard ajoute : *"c'est là un merveilleux effet de la bonté de Dieu et un des grands témoignages de son amour. Ces esprits si élevés, si heureux, si proches de Lui, si unis à Lui, c'est pour nous qu'Il leur commande de venir nous assister sur terre !"*

Saint François d'Assise nous éclaire sur leur mission : *"Nos bons Anges, sont appelés nos Anges gardiens car ils sont chargés de nous assister de leurs inspirations, de nous défendre en périls, de nous reprendre en nos défauts et nous inciter à poursuivre la bonté. Ils nous*

obtiennent par leur intercession la force et le courage. Ils portent nos prières auprès de la miséricorde de Notre-Seigneur. Nous pouvons faire toutes nos actions, soit boire, manger, marcher, travailler, parler, en présence de notre Ange. Imitons notre Ange gardien dans sa douceur, son humilité, sa charité et son amour du prochain."
A nous de développer une intimité au quotidien avec notre Ange gardien. Apprenons à le connaître, à lui parler, à écouter ses bons conseils et n'hésitons pas à le solliciter, il sera alors le plus heureux !
La Vierge Marie est la Reine des Anges.
Nous fêtons les Anges gardiens le 2 octobre.

Entrons en prière :
Au nom du Père, du Fils et du Saint-Esprit. Amen !
Cher Ange gardien, frère de mon âme, toi qui es présent avec moi à chaque instant de ma vie, je viens à ta rencontre en ce jour pour te dire merci. Merci pour toutes les fois où tu m'as protégé, pour toutes les situations où tu m'as guidé sur le bon chemin. Merci de veiller sur les évènements de ma vie.
Aujourd'hui, je te présente mon intention dans cette neuvaine. Visite les Anges gardiens de toutes les personnes que je porte dans mon cœur, afin que chacune soit bien inspirée pour répondre à la volonté de Dieu en cette prière. Console-moi dans mes épreuves, conduis-

moi sur la bonne route, assiste-moi dans la difficulté. A partir d'aujourd'hui, je décide de faire appel à toi qui es nommé pour me garder. Tu connais ma grande faiblesse, alors dirige-moi, et de tes ailes protège-moi de toute agression. Cher ami, mon Ange gardien, je t'aime et je veux vivre toujours avec toi.

La prière du coeur :
Mon Ange gardien, écoute maintenant mon cri vers le Ciel !
Dites avec vos mots à vous à votre Ange gardien votre cri du cœur…
A la fin de ce temps de prière personnelle, vous pouvez prendre un temps de silence.

Prières :

Litanies des Anges gardiens (extrait)
O Marie, Reine des Anges, prie pour nous.
Saints Archanges, Gabriel, Michel et Raphaël, priez pour nous.
Saints Anges gardiens, qui ne vous écartez jamais de nous, priez pour nous.
Saints Anges gardiens, qui nous préservez des nombreux maux du corps et de l'âme, priez pour nous.
Saints Anges gardiens, qui nous consolez dans la détresse et la souffrance, priez pour nous.

Saints Anges gardiens, qui veillez et priez quand nous dormons, priez pour nous.
Prions : Dieu éternel et tout-puissant, qui dans ton ineffable bonté a envoyé à tous les hommes, dès le sein maternel, un Ange particulier pour la protection du corps et de l'âme, merci de nous accorder de suivre fidèlement notre Ange et de l'aimer afin que nous parvenions, par ta grâce et sous sa protection, au Ciel pour contempler ta divine Face, avec lui, tous les anges et tous les saints.
Par Jésus-Christ, Notre-Seigneur. Amen !

Saint Ange de Dieu, à qui Dieu a confié ma protection, je te remercie pour les bienfaits que tu as procurés à mon corps et à mon âme. Je te loue et te glorifie car tu m'assistes avec une très grande fidélité et me protèges contre tous les assauts de l'Ennemi.
Bénie soit chacune des heures où tu m'as été donné comme protecteur et désigné comme défenseur !
Bénis soient ton amour et toute ta sollicitude, toi qui n'as de cesse de hâter mon salut !
Je te demande de me pardonner d'avoir si souvent résisté à tes suggestions, t'attristant ainsi, ô toi mon bon ami.
Je prends la résolution de t'obéir et de servir Dieu fidèlement. Amen !

(Sainte Gertrude)

Invocation :
Saint Ange gardien, prie pour nous !

Gloire au Père, au Fils et au Saint-Esprit, comme il était au commencement, maintenant et toujours et dans les siècles et les siècles. Amen !

Votre promesse :
Mon Ange gardien, aujourd'hui je te promets …
Exprimer alors votre petit cadeau personnel, votre résolution pour faire plaisir à votre Ange gardien.

Petite histoire vraie…
Padre Pio (1887-1968) fut un jour violemment attaqué par Satan, il se crut perdu et demanda de l'aide à son ange gardien. Mais l'ange ne se manifesta pas. Quand il apparut, Padre Pio, vraiment fâché, lui reprocha son absence. Puis, comme s'il voulait le punir, il le quitta sans le regarder. L'Ange le suivit tout penaud en pleurant presque ! Finalement ils se réconcilièrent et l'ange put expliquer que Dieu voulait que cette fois-là Padre Pio s'en sorte seul et sans aide.
(Fioretti du Padre Pio par Pascal Cataneo p. 156)

Septième journée avec Dieu le Père

Présentation :
Nous avons souvent une fausse image du Père, père distant ou père « fouettard », Dieu vengeur loin des hommes, posé sur son nuage comme Jupiter. Cela est une croyance qui nous empêche de voir combien Dieu le Père est bon, tendre et miséricordieux. C'est pourquoi nous avons choisi ce tableau *"le retour du Prodigue"* de Rembrandt pour rencontrer « Notre Père ».
Nous pouvons relire l'histoire de ce fils qui, après avoir demandé sa part d'héritage à son père, s'en va dépenser tout son argent. Après un temps de famine et d'épreuves, il décide de revenir comme serviteur chez son père. Losque celui-ci aperçoit son fils au bout du chemin, il se précipite pour étreindre son enfant bien-aimé en disant : *"Tuez le veau gras, car mon fils était mort et il est revenu à la vie !"* (Lc 15, 11-31)
Dieu le Père, n'a pas encore de fête officielle dans l'Eglise, nous pouvons prier pour cela. Heureusement toutes les fêtes liturgiques célèbrent Dieu.

Entrons en prière :

Au nom du Père, du Fils et du Saint-Esprit. Amen !

Père de bonté et de tendresse, je reviens à Toi en ce jour, je veux reconnaître ton amour infini et me blottir comme un petit enfant sur ton cœur. Je veux *"baisser les armes"* et me laisser guérir par ton amour, j'abandonne tout soupçon, toute méfiance vis-à-vis de Toi, pour me laisser envahir par ta tendresse paternelle.

Je reconnais que, par mon baptême, je suis ton enfant bien-aimé en qui tu mets tout Ton bonheur.

Pardon d'avoir douté de Toi Père ! Oui, aujourd'hui de manière toute particulière, je désire entrer à nouveau en cette filiation divine et je souhaite t'appeller Abba, papa, mon Père !

Viens visiter en moi toutes mes fausses images du père, viens guérir en moi toutes mes blessures quant à mon identité de fils (fille), car je pressens qu'au bout de ce chemin est la vraie vie, dans cette dépendance qui élève, dans ce don total et cet amour infini qui nous unissent pour l'éternité.

La prière du coeur :
Abba, mon Père du Ciel, écoute maintenant mon cri vers toi !
Dites avec vos mots à vous la prière d'un fils à son Père, votre cri du cœur . Exprimez-lui votre situation, vos problèmes, afin que tout soit déposé aujourd'hui dans le cœur du Père des miséricordes.
A la fin de ce temps de prière personnelle, vous pouvez prendre un temps de silence pour entrer dans un dialogue d'amour avec le Père.

Prières :

Notre Père qui es aux Cieux que ton nom soit sanctifié, que ton règne vienne, que ta volonté soit faite sur la terre comme au Ciel. Donne-nous aujourd'hui notre pain de ce jour, pardonne-nous nos offenses comme nous pardonnons aussi à ceux qui nous ont offensés et ne nous soumets pas à la tentation, mais délivre-nous du mal. Amen !

Consécration au Père Eternel

Père Eternel, Dieu de tendresse et de force, je me consacre à toi par l'Esprit de piété filiale que tu nous as envoyé et par ton Fils bien-aimé qui nous a montré ton visage de Père des miséricordes.

Tout ce qui est en moi soupire et gémit "Abba", te loue et t'adore, je te supplie de tourner le cœur des hommes vers ton Cœur de Père, qu'ils le reconnaissent et se réconcilient avec toi, qu'ils trouvent la paix et la consolation en se reposant dans ton sein.

Je me consacre à toi qui es Dieu, prêt à pardonner, compatissant et miséricordieux, lent à la colère et riche en bonté, et qui n'abandonne pas ses enfants.

Je me consacre à toi, par le Cœur Immaculé de Marie, et par le Cœur transpercé de Jésus en qui tu as mis tout ton amour pour l'humanité souffrante.

O Père Eternel, engendre en moi ton Fils dans la jubilation de l'Esprit-Saint, afin que j'accède à la plénitude de la bienheureuse lumière où tu demeures.

Amen !

(Frère Ephraïm)

Invocation :

Père du Ciel qui es Dieu, exauce-nous Seigneur !
Rendons gloire au Père tout puissant,
A son Fils Jésus-Christ le Seigneur,
A l'Esprit qui habite en nos cœurs,
Pour les siècles des siècles. Amen !

Votre promesse :
Mon Père du Ciel, aujourd'hui je te promets …

Exprimez alors votre petit cadeau personnel au Père, sachant que ce qui réjouira son Coeur plus que tout, c'est d'aller le rencontrer à travers le sacrement de la réconciliation (la confession), si cette possibilité vous est offerte.

Petite histoire vraie...
En 1996, nous avons décidé de construire une chapelle consacrée à Dieu le Père à la Cité de l'Immaculée. Nous avons fait établir des devis auprès des artisans de la région. La somme totale était de 100 000F. Nous avons donc fait une neuvaine à Dieu le Père, en lui demandant comme signe de son désir de voir l'édification de cette chapelle, un don unique de cette somme (ce qui ne nous était jamais arrivé). Le neuvième jour, un dimanche rien ne se passa...Mais le lundi matin au courrier il y avait un chèque de 100 000F !
Des gens avaient eu sur le cœur de nous envoyer cette somme (le dixième du prix de leur maison) pour remercier le Seigneur de les avoir aidés dans leur vente.
Depuis de nombreux cœurs témoignent de rencontres avec le Père en cet oratoire.
Merci Père du Ciel !

(Thierry Fourchaud)

Jésus, j'ai confiance en Toi

Huitième journée avec le Christ Miséricordieux

Présentation : Révélation de Jésus à sainte Faustine Kowalska, religieuse (1905-1938)

« Peins un tableau ; représente-moi tel que tu me vois, avec l'inscription : "Jésus, j'ai confiance en toi".

Je désire que cette image soit vénérée d'abord dans votre chapelle et ensuite dans le monde entier. Les rayons du tableau signifient le sang et l'eau, qui ont jailli de la profondeur de ma Miséricorde, alors que mon Cœur fut ouvert par la lance sur la croix. Les rayons blancs représentent l'eau qui justifie les âmes ; les rayons rouges symbolisent le sang, qui donne la vie aux âmes. L'humanité ne trouvera pas de paix, tant qu'elle ne se tournera pas avec confiance vers la Miséricorde de Dieu. Le manque de confiance des âmes me déchire les entrailles. Les plus grands pécheurs, avant tous les autres mortels, ont droit aux trésors infinis de ma Miséricorde. Mes délices, ce sont les âmes qui font appel à ma Miséricorde. Je leur donne des grâces plus grandes que celles qu'elles me demandent. La source de ma Miséricorde a été grande ouverte par la lance quand j'étais sur la croix. C'était pour toutes les âmes, je n'ai exclu personne. »

Chaque année, nous célèbrons le Christ Miséricordieux le premier dimanche après Pâques. En août 2002, Jean-Paul II à consacré le monde au Christ Miséricordieux.

Entrons en prière :
Au nom du Père, du Fils et du Saint-Esprit. Amen !
Jésus Miséricordieux, j'ai confiance en toi.
En ce jour, je fais appel à ta Miséricorde sur moi, sur ma vie, ma famille et toute mon histoire. Viens, Seigneur Jésus m'abreuver à la source vive de ta Miséricorde.
Viens guérir tout manque de confiance en Toi, car par ta Passion, et ta Résurrection, tu viens me sauver et sauver toutes les âmes dans ton amour infini.
Pardon Seigneur de n'avoir pas suffisamment vécu de ta Vie ! Pardon Seigneur de n'avoir pas suivi tes Chemins. Pardon Seigneur de n'avoir pas vécu dans la Vérité. Viens aujourd'hui faire fondre tous mes péchés, tout ce qui me coupe de Toi, dans le brasier d'amour de ta Sainte Croix. J'implore ta Miséricorde, donne-moi toutes les grâces qui me sont nécessaires pour retrouver une totale confiance : augmente en moi la foi et l'amour.

La prière du coeur :
Jésus Miséricordieux, écoute mon cri vers Toi !
Dites avec vos propres mots votre cri du cœur à Jésus Miséricordieux. Exprimez-lui intimement votre prière, votre désir, afin que tout soit déposé aujourd'hui dans son Sacré-Coeur.

A la fin de ce temps de prière personnelle prendre un temps de silence pour entrer dans un dialogue d'amour avec Jésus Miséricordieux.

Prières :

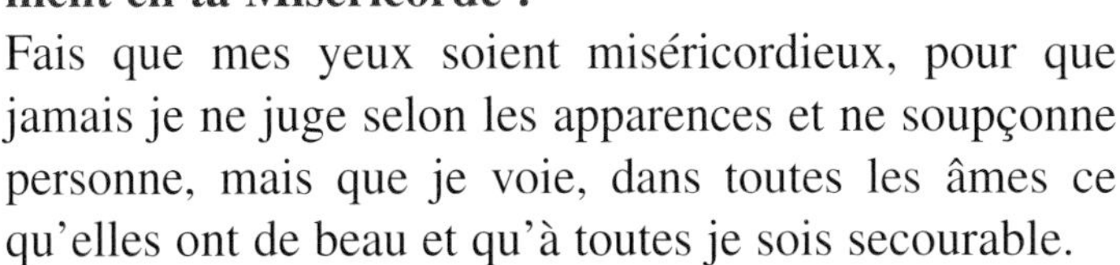

Seigneur Jésus, transforme-moi entièrement en ta Miséricorde !

Fais que mes yeux soient miséricordieux, pour que jamais je ne juge selon les apparences et ne soupçonne personne, mais que je voie, dans toutes les âmes ce qu'elles ont de beau et qu'à toutes je sois secourable.
Fais que mes oreilles soient miséricordieuses, toujours attentives aux besoins de mes frères et jamais fermées à leur appel.
Fais que ma langue soit miséricordieuse pour que jamais je ne dise du mal de personne, mais que pour tous j'ai des paroles de pardon et de réconfort.
Fais que mes mains soient miséricordieuses et pleines de charité, afin que je prenne sur moi tout ce qui est dur et pénible pour alléger ainsi les fardeaux des autres.
Fais que mes pieds soient miséricordieux et toujours prêts à courir au secours du prochain, malgré ma fatigue et mon épuisement. Que je me repose en servant !
Fais que mon cœur soit miséricordieux et ouvert à toute souffrance. Je ne le fermerai à personne, même à ceux qui en abusent, et moi-même je m'enfermerai dans le Cœur de Jésus. Jamais je ne dirai mot de mes propres souffrances.
Puisse ta Miséricorde se reposer en moi Seigneur !
Transforme-moi en Toi, car tu es mon TOUT. » Amen !

(Prière dictée par Jésus à sainte Faustine)

Seigneur, fais de moi un instrument de paix !
Là où il y a la haine, que j'apporte l'amour.
Là où il y a l'offense, que j'apporte le pardon.
Là où il y a la discorde, que j'apporte l'union.
Là où il y a l'erreur, que j'apporte la vérité.
Là où il y a le doute, que j'apporte la foi.
Là où il y a le désespoir, que j'apporte l'espérance.
Là où il y a les ténèbres, que j'apporte Ta lumière.
Là où il y a la tristesse, que j'apporte la joie.
Seigneur, que je ne cherche pas tant
à être consolé, qu'à consoler ;
à être compris, qu'à comprendre ;
à être aimé, qu'à aimer ;
Car :
C'est en donnant qu'on reçoit,
C'est en s'oubliant qu'on se trouve,
C'est en pardonnant qu'on est pardonné,
C'est en mourant qu'on ressuscite à la Vie Eternelle.
Amen !

(Saint François d'Assise)

Invocation :
Jésus Miséricordieux, J'ai confiance en Toi !
Rendons gloire au Père tout-puissant,
A son Fils Jésus-Christ le Seigneur,
A l'Esprit qui habite en nos cœurs,
Pour les siècles des siècles. Amen !

Votre promesse :
Jésus Miséricordieux, aujourd'hui je te promets …
Exprimez maintenant votre petit cadeau personnel, votre résolution pour réjouir le Cœur de Jésus.

Histoire vraie...
"Les scribes et les Pharisiens amenèrent une femme surprise en adultère, et la plaçant au milieu, ils disent à Jésus :"Maître, cette femme a été surprise en flagrant délit d'adultère. Or dans la Loi, Moïse nous a prescrit de lapider ces femmes-là. Toi donc, que dis-tu ?" Ils disaient cela pour le mettre à l'épreuve, afin d'avoir matière à l'accuser. Mais Jésus, se baissant, se mit à écrire avec le doigt sur le sol. Comme ils persistaient à l'interroger, il se redressa et leur dit : "Que celui d'entre vous qui est sans péché lui jette le premier une pierre !" Et se baissant de nouveau, il écrivait sur le sol. Mais eux, entendant cela, s'en allèrent un à un, à commencer par les plus vieux ; et il fut laissé seul, avec la femme toujours là au milieu. Alors, se redressant, Jésus lui dit : "Femme, où sont-ils ? Personne ne t'a condamnée ?" Elle dit : "Personne, Seigneur." Alors Jésus dit : "Moi non plus, je ne te condamne pas. Va, désormais ne pèche plus."

(Evangile de Jésus Christ selon Saint Jean 8, 3-11)

Tableau "la descente du Saint-Esprit (fin XIV ème siècle)

Neuvième journée avec l'Esprit-Saint

Présentation :

L'Esprit-Saint est la personne la moins connue de la Sainte Trinité. Pourtant, il est présent de la première à la dernière page de la Bible !

Nous le voyons aussi à chaque moment fort de la vie de Jésus et enfin d'une manière tout à fait spectaculaire le jour de la Pentecôte. Il est souvent représenté sous la forme d'une colombe, ou dans le signe du vent et du feu.

L'Esprit-Saint procède du Père et du Fils, c'est la troisième personne de la Sainte Trinité. Adressons-nous à Lui comme nous nous adressons au Père et au Fils.

Esprit du Père et du Fils, Il a été répandu dans nos cœurs par le baptême. Il nous établit dans la communion avec le Père et le Fils, et les uns avec les autres dans l'Eglise. Il est envoyé sur les apôtres à la Pentecôte, (chaque année c'est le jour où nous le célébrons, 50 jours après Pâques). Il veut développer en nous ses 7 dons, ses cadeaux : don de science, de conseil, d'intelligence, de sagesse, de piété, de force et de crainte pour que nous vivions pleinement de ses fruits que sont l'amour, la joie, la paix, la patience, la bonté, la fidélité, l'humilité, et la pureté.

Saint Séraphim de Sarov nous dit : *"le but de la vie chrétienne est l'acquisition du Saint-Esprit"*.
Quel magnifique programme !

Entrons en prière :
Au nom du Père, du Fils et du Saint-Esprit. Amen !
Esprit-Saint consolateur, Esprit de vérité, toi qui es partout présent et qui remplis tout, donateur de vie, viens et demeure en moi. Purifie-moi et sauve-moi !
Esprit-Saint, toi qui es Amour éternel, viens vivifier mon corps, mon esprit et mon âme. Viens renouveler en moi tes 7 dons sacrés pour que je porte chaque jour les fruits de ton amour.
Ô Esprit-Saint, donne-moi de te rencontrer personnellement pour vivre quotidiennement avec Toi, pour me laisser conduire et guider par Toi. Pour grandir dans l'union à Dieu, dans cette communion qui me donne de voir Jésus dans chaque personne humaine.
Viens, Esprit-Saint en moi et sur ma famille pour guérir ce qui est blessé, réchauffer ce qui est froid et assouplir ce qui est rigide. Viens en mon histoire pour transfigurer ma vie, mes gestes, mes paroles, mon identité profonde afin que je vive de Ta vie et de Ton Amour en moi.

La prière du coeur :
Esprit-Saint, écoute mon cri vers Toi !

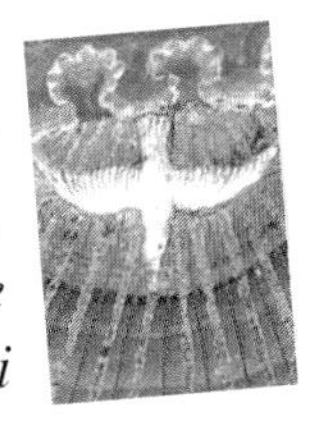

Dites avec vos propres expressions votre prière, votre cri du cœur à l'Esprit-Saint. Exprimez-lui intimement votre désir afin que toute votre neuvaine soit déposée aujourd'hui dans son Cœur.

A la fin de ce temps de prière personnelle vous pouvez prendre un temps de silence pour entrer dans un dialogue d'amour avec le Saint Esprit.

Prières :

Viens , Esprit Créateur,
Visite l'âme de tes fidèles,
Emplis de la grâce d'en Haut
Les cœurs que tu as crées.
Toi qu'on nomme le Conseiller,
Don du Dieu très-haut,
Source vive, feu, charité,
Invisible consécration.
Tu es l'Esprit aux sept dons,
Le doigt de la main du Père,
L'Esprit de vérité promis par le Père,
C'est toi qui inspires nos paroles.
Allume en nous ta lumière,
Emplis d'amour nos cœurs,
Affermis toujours de ta force

La faiblesse de notre corps.
Repousse l'ennemi loin de nous,
Donne-nous ta paix sans retard,
Pour que, sous ta conduite et ton conseil,
Nous évitions tout mal et toute erreur.
Fais-nous connaître le Père,
Révèle-nous le Fils,
Et toi, le commun Esprit,
Fais-nous toujours croire en toi.
Gloire soit à Dieu le Père,
Au Fils ressuscité des morts,
A l'Esprit-Saint Consolateur,
Maintenant et dans les siècles des siècles.
Amen !

(Veni Creator, traditionnel)

Viens, Consolateur souverain hôte très doux de nos âmes, adoucissante fraîcheur. Dans le labeur, le repos ; dans la fièvre, la fraîcheur ; dans les pleurs, le réconfort. O lumière bienheureuse, viens remplir jusqu'à l'intime le cœur de tous tes fidèles. Lave ce qui est souillé, baigne ce qui est aride, guéris ce qui est blessé. Assouplis ce qui est raide, réchauffe ce qui est froid, rends droit ce qui est faussé.
A tous ceux qui ont la foi et qui en toi se confient, donne tes sept dons sacrés. Donne mérite et vertu, donne le salut final, donne la joie éternelle. Amen !

(Séquence de la Pentecôte, extrait)

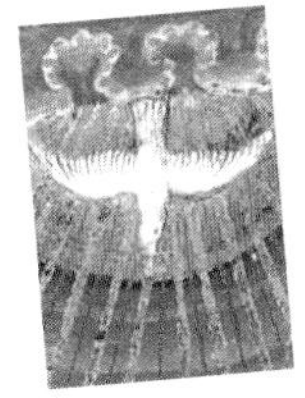

Invocation :
Esprit-Saint qui es Dieu, exauce-nous Seigneur!

Rendons gloire au Père tout-puissant,
A son Fils Jésus-Christ le Seigneur,
A l'Esprit qui habite en nos cœurs,
Pour les siècles des siècles. Amen !

Votre promesse :
Esprit-Saint, aujourd'hui je te promets …

Exprimez alors votre petit cadeau personnel, votre résolution pour réjouir l'Esprit-Saint.

Petite histoire vraie …
Tout jeune novice, j'étais à l'église et j'entendis la prophétie d'Isaïe : « Lavez-vous, soyez purs ! » Et il me vint à la pensée de savoir si la mère de Dieu avait péché, ne serait-ce que par une seule pensée. Et voici que pendant que je priais, une voix disait distinctement en moi : « La Mère de Dieu n'a jamais péché, pas même par une pensée. » Ainsi l'Esprit-Saint rendait témoignage dans mon cœur de sa pureté.
(Saint Silouane du Mont Athos 1866-1938 – écrits spirituels p.54)

Icône de La Trinité de Roublev (XV ème siècle)

Prière finale avec la Très Sainte Trinité

Nous vous conseillons de prendre une journée à part pour la prière finale de la neuvaine.

Présentation :
La Très Sainte Trinité est le commencement et la fin de toutes choses. Dieu est la Vie ! Il désire attirer chacun de nous dans le souffle éternel de l'Amour Trinitaire du Père, du Fils et du Saint Esprit.
Nous célébrons la Sainte Trinité le dimanche après la Pentecôte.

Entrons en prière :
Au nom du Père, du Fils et du Saint-Esprit. Amen !
Très Sainte Trinité, je t'adore !
Me voici arrivé au terme de cette neuvaine.
Tu connais toute mon histoire, toute ma vie, tous mes désirs, viens par ton grand amour exaucer toutes les intentions de mon cœur.

Ecoute encore une fois mon cri vers le Ciel...
Faites monter avec toute votre force, toute votre âme, votre prière vers l'adorable Trinité Très Sainte.

A la fin de ce temps de prière personnelle vous pouvez prendre un temps de silence profond pour entrer dans un dialogue d'amour avec la Très Sainte Trinité.

Prières :

O mon Dieu, Trinité que j'adore, aidez-moi à m'oublier en vous, pour m'établir en vous, immobile et paisible comme si déjà mon âme était dans l'éternité. Que rien ne puisse troubler ma paix, ni me faire sortir de vous, ô mon Immuable, mais que chaque minute m'emporte plus loin dans la profondeur de votre Mystère.
O mes Trois, mon Tout, ma Béatitude, Solitude infinie, Immensité où je me perds, je me livre à vous comme une proie. Ensevelissez-vous en moi, pour que je m'ensevelisse en vous, en attendant d'aller contempler en votre lumière l'abîme de vos grandeurs.
Amen !

(Bienheureuse Elisabeth de la Trinité)

Consécration solennelle

En ce jour de grâce, en présence de l'Eglise Céleste, je renouvelle solennellement ma consécration et celle du monde à Dieu, mon Créateur et Sauveur, Père, Fils et Saint-Esprit par le Cœur Immaculé de Marie ma mère.

Je renouvelle les vœux de mon baptême.

Je renonce définitivement à Satan, et à toute forme de mal.

Je me donne tout entier et pour toujours à l'indivisible Trinité Sainte. Quoiqu'il arrive, je décide aujourd'hui (date : __________) avec la grâce de Dieu, de m'abandonner totalement à l'heure de ma mort dans le Cœur de Jésus mon Sauveur.

Je me place sous la protection de la Sainte Famille de Nazareth, pour vivre en son amour sur le Chemin, la Vérité et la Vie qui mènent à la Lumière Eternelle.

Amen !

(extrait du livre de retraite de consécration de la Communion Marie Reine de la Paix)

Votre signature :

Rendons gloire au Père tout-puissant,
A son Fils Jésus-Christ le Seigneur,
A l'Esprit qui habite en nos cœurs,
Pour les siècles et les siècles. Amen !

Votre promesse :
Trinité Sainte quand tu auras exaucé totalement ma demande par cette neuvaine, je te promets...

Exprimez ou écrivez ci-dessus votre cadeau final, votre résolution pour dire un grand merci à Dieu lorsque votre prière sera complètement exaucée !

FIN

“Celui qui demande reçoit ;
celui qui cherche trouve ;
et à celui qui frappe,
la porte s’ouvrira”

(Jésus dans l’Evangile de Mathieu 6, 8)

Informations pratiques

Nous sommes sûrs que la pratique de cette neuvaine portera de nombreux fruits dans notre vie et dans nos familles.
Bien sûr, nous pouvons recommencer la neuvaine pour d'autres intentions autant de fois que nous le souhaitons.
Soyons persévérants dans la foi et la confiance, et mettons notre espérance uniquement en Celui qui a tout créé et qui nous a aimés à en mourir.

Si vous avez des témoignages ou des questions n'hésitez pas à nous écrire à l'adresse ci-contre.

Faites connaître autour de vous cette neuvaine.
C'est porter assistance aux personnes en danger que de la diffuser largement. Nous connaissons sûrement quelqu'un qui a « soif » dans notre famille ou dans nos amis. Osons témoigner ! Soyons comme les apôtres, porteur de la "Bonne Nouvelle" !
De plus, cette neuvaine peut agir pour certains comme un "starter" de la prière, c'est-à-dire leur redonner le goût du dialogue avec le Ciel. Elle peut ramener la vie à l'essentiel, c'est-à-dire à Dieu, celui là même qui la donne !

Vous trouverez cette neuvaine dans votre librairie chrétienne ou vous pouvez commander d'autres neuvaines "Un cri vers le Ciel" par écrit sur papier libre à l'adresse ci-dessous :

Communion Marie Reine de la Paix
BP 24 - 53170 Saint Denis du Maine
Tel : 02.43.64.23.25. (France)
site internet : www.mariereine.com

En complément de cette neuvaine, nous vous proposons le livre de retraite de consécration à la Très Sainte Trinité par Marie. Vous pouvez recevoir sur simple demande les informations sur ce livre et sur la Communion Marie Reine de la Paix.

RETRAITES SPIRITUELLES

Nous organisons à la Cité de l'Immaculée, des retraites de guérison intérieure. Acquérir la Paix, vivre dans une joie profonde, trouver l'espérance et la force d'aimer...

Pour toutes informations :
Association Coeur de Jésus - BP 36
53170 Saint Denis du Maine (France)
Tél : 02.43.26.88.55.

En complément...

Si vous souhaitez approfondir cette neuvaine voici différents livres que vous pouvez vous procurer à la librairie :
Ephèse Diffusion BP 36 – 53170 Saint-Denis du Maine (France) tel : 02.43.64.27.03.

- **Bible de Jérusalem**

- **La Bible en bande dessinées.**

- **Catéchisme de l'Eglise Catholique**

- **Des mystères pour guérir** (Frère Ephraïm)
L´auteur nous invite à rentrer dans les mystères du rosaire comme une chemin de guérison. Ed. des Béatitudes.

- **Traité de la vraie dévotion à la sainte Vierge** (Saint Louis-Marie Grignion de Montfort) Une lumière d´amour par la consécration. Editions Médiaspaul.

- **Fioretti de la Vierge Marie** (Frère Albert Pléger)
Témoignages de l'action de Dieu par Marie dans la vie de tous les jours. Editions Ephèse Diffusion.

- **Histoire d´une âme** (Sainte Thérèse de l´Enfant-Jésus)
Manuscrits autobiographiques. Editions Sarment

- **Histoire d'une famille** (Stéphane Joseph Piat)
C'est l'histoire complète de la famille de sainte Thérèse de l'Enfant-Jésus. Editions Tequi.

- L'Ange gardien - prières et textes
Editions bénédictines

- Je suis avec vous tous les jours (Jean-Paul Dufour)
Un recueil de prière très complet. Editions Téqui.

- Jésus Miséricordieux, j'ai confiance en vous
Neuvaine à la divine miséricorde révélée par Jésus à sainte Faustine. Editions du Parvis.

- Fioretti de Padre Pio (Pascal Cataneo)
Un condensé des évènements miraculeux autour de Saint Padre Pio. Editions Médiaspaul

- Yvonne-Aimée telle que je l'ai connue (Père Labutte)
La vie de Mère Yvonne-Aimée de Malestroit.
Editions François-Xavier de Guibert

- L'action du Saint-Esprit dans nos âmes (Père A.Riaud)
Ce livre donne avec simplicité les explications sur l'Esprit-Saint, ses fruits, ses dons...Editions Tequi.

- Le Corps, temple de la Beauté (Jo Croissant.)
Un véritable chemin de guérison intérieure pour retrouver son identité en Dieu. Editions des Béatitudes.

- Il a changé ma vie
Douze récits authentiques de gens ordinaires ayant rencontré Dieu... Editions de l'Emmanuel.

- Le Rosaire (Selon les indications de Jean Paul II dans sa lettre apostolique *"Rosarium Virginis Mariae"*) **Avec les Mystères Lumineux.** Existe aussi en CD audio.

L'éditeur et l'auteur remercient vivement tous ceux qui les ont autorisés à reproduire leurs prières, leurs chants, ainsi que les documents qui ont servi aux illustrations.

La Communion Marie Reine de la Paix est portée par la Communauté des Béatitudes dont la vocation est d'être Amour au cœur de l'Eglise.

Le livre "Un cri vers le Ciel" existe aussi en Allemand.
Vous pouvez vous le procurer à :
Edition du Parvis - CH 1648 Hauteville (Suisse)

Le livre "Un cri vers le Ciel" existe aussi en Italien.
Vous pouvez vous le procurer à :
Cooperativa edizioni Vocepiù Srl
Corso Italia 46 - 20122 Milano (Italie)

Diffusion libraires
SERDIF
1 rue de Garennes
44810 HERIC (France)
Tel : 02.28.02.23.42.

Imprimé au mois de mai de l'an de Grâce 2004
par **Saint Joseph** Imprimeur à Callac de Bretagne - 22160 (France)